U0381212

越读越聪明的**数学思维**故事

苏超峰 著

鼠儿岛数学历险

四川少年儿童出版社

目录

在一望无际的大海上，有一座小岛。远远望去，小岛的形状就像一只老鼠，所以大家都叫它"鼠儿岛"。鼠儿岛上居住着许多热爱数学的动物，他们相亲相爱，过着平静的生活。

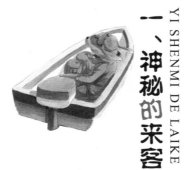

máo mao de yé ye zhù zài shǔ ér dǎo
毛毛的爷爷住在鼠儿岛

shang tā shì zhè lǐ zuì yǒu míng de yú fū
上，他是这里最有名的渔夫。

fàng shǔ jià le māo mā ma bǎ máo mao sòng dào
放暑假了，猫妈妈把毛毛送到

shǔ ér dǎo ràng tā hǎo hāor péi pei māo yé ye
鼠儿岛，让他好好儿陪陪猫爷爷。

zhè tiān yí dà zǎo māo yé ye jiù
这天一大早，猫爷爷就

bǎ máo mao cóng chuáng shang jiào le qǐ lái tā
把毛毛从床上叫了起来，他

yào dài máo mao chū hǎi bǔ yú
要带毛毛出海捕鱼。

猫爷爷划着小船，向大海驶去。

过了一会儿，猫爷爷停下小船，熟练地把渔网抛向大海。渔网在海面上溅起一圈波纹后，慢慢地沉了下去。猫爷爷缓缓地提起渔网，十几条大鱼在网中扑腾着。

"1，2，3……" 毛毛兴奋地

shǔ zhe kàn lái jīn tiān tā men yé sūn liǎ de yùn qi hái bú cuò
数着。看来，今天他们爷孙俩的运气还不错，

dì yī wǎng jiù bǔ dào le shí jǐ tiáo dà yú
第一网就捕到了十几条大鱼。

dāng māo yé ye sā wán dì èr wǎng zhèng zhǔn bèi lí kāi shí tū rán kàn dào yì sōu kuài tǐng cóng yuǎn chù fēi chí ér lái māo yé ye jué de hěn qí guài zhè chuán shì cóng nǎr lái de ne
当猫爷爷撒完第二网，正准备离开时，突然看到一艘快艇从远处飞驰而来。猫爷爷觉得很奇怪，这船是从哪儿来的呢？

wèi lǎo tóur nǐ shì zài bǔ yú ma kuài tǐng shang zuò zhe yí gè shēn
"喂，老头儿，你是在捕鱼吗？"快艇上坐着一个身

穿红色外套，头戴鸭舌帽的

人。毛毛还从没见过这么没

礼貌的人，居然对一位老人

大呼小叫的。毛毛故意嘲笑

红衣人，说："拿着渔网不捕

鱼，难道是捞石头玩吗？"

红衣人并不理会毛毛，

又问："老头儿，你撒一次网

能捕多少条鱼啊？"

猫爷爷也有些生气，就

决定教训教训这个不懂礼貌

的家伙。他想了想，说："我

一天只撒两次网。今天我一

共捕到了24条鱼，但两次捕到

的鱼并不是一样多。如果从

第一次捕到的鱼中拿出4条给

第二次，那么两次捕到的鱼

就一样多了。你说说看，我

第一次捕了多少条鱼，第二

次又捕了多少条鱼啊？"

"这个嘛……"红衣人掰

着手指算来算去也算不清楚，

于是不耐烦地说，"算啦算

啦，我才懒得管你捕了多少

鱼呢！你给我说说，前面那个

小岛就是鼠儿岛吗？"

"你到鼠儿岛干什么？"

猫爷爷一下子警惕起来。这么多年来，很少有外人到鼠儿岛来。这个红衣人一看就不像好人，他到鼠儿岛来干什么呢？

"这个你别管。"红衣人狡黠地笑了笑，"听你这么说，那里应该就是鼠儿岛了！"说完，他就调转船头离开了。

māo yé ye sā le liǎng cì
猫 爷 爷 撒 了 两 次

wǎng měi cì fēn bié bǔ dào le
网 ， 每 次 分 别 捕 到 了

duō shao tiáo yú
多 少 条 鱼 ？

sī lù hé dá àn
思路和答案

dì yī zhǒng fāng fǎ
第一种方法：

yī cóng dì yī cì bǔ dào de yú zhōng
一、从第一次捕到的鱼中

ná chū tiáo gěi dì èr cì měi cì bǔ de
拿出 4 条给第二次，每次捕的

yú biàn chéng le tiáo
鱼变成了：24 ÷ 2 = 12（条）；

èr dì yī cì bǔ dào de yú
二、第一次捕到的鱼：

tiáo
12 + 4 = 16（条）；

sān dì èr cì bǔ dào de yú
三、第二次捕到的鱼：

tiáo
12 − 4 = 8（条）。

第二种方法：

一、第一次捕到的鱼比

第二次多：$4 \times 2 = 8$（条）；

二、第二次捕到的鱼：

$(24 - 8) \div 2 = 8$（条）；

三、第一次捕到的鱼：

$24 - 8 = 16$（条）。

二、挖陷阱御敌

ER WA XIANJING YUDI

yì zhǒng bù xiáng de yù gǎn yǒng shàng māo
一 种 不 祥 的 预 感 涌 上 猫

yé ye de xīn tóu　tā lì kè dài zhe máo
爷 爷 的 心 头 。 他 立 刻 带 着 毛

mao huí dào shǔ ér dǎo　qiāo xiǎng le guà zài
毛 回 到 鼠 儿 岛 ， 敲 响 了 挂 在

dà róng shù shang de dà zhōng
大 榕 树 上 的 大 钟 。

　　māo yé ye　chū shén me shì la
　　" 猫 爷 爷 ， 出 什 么 事 啦 ？ "

jū mín men tīng dào zhōng shēng　lì kè gǎn dào
居 民 们 听 到 钟 声 ， 立 刻 赶 到

dà róng shù xià jí hé
大 榕 树 下 集 合 。

11

猫爷爷站在一块大石头上，把碰到红衣人的经过告诉了大家。

"鼠儿岛跟外界几乎没有联系，红衣人怎么会找到这里来呢？"红衣人的突然出现，让大伙儿感到十分不安。

"大家静一静！"猫爷爷挥了挥手，"不

管红衣人想来干什么，我们都必须做好应对一切危险的准备。"

大家异口同声地问："那您快说说，我们该怎么做？"

"你们看，"猫爷爷拿出了鼠儿岛的地形图，说，"鼠儿岛的西、南、北三面

都是悬崖，红衣人想从这三

面进入鼠儿岛，几乎是不可

能的。所以，我们只要守住

东面，就可以防止坏人入侵。"

"爷爷，我有个建议。"

毛毛把手举得高高的。

"哦？那你说说看吧！"

猫爷爷让毛毛站到大石头上来。

毛毛指着地形图说："既

然这里是进入鼠儿岛的必经

之路，那咱们只要在入口处

挖一些陷阱，一旦有坏人进

来，咱们就可以轻松地把他

men zhuā zhù
们 抓 住 。"

hā hā　　　　　máo mao de huà yīn
"哈 哈 ……" 毛 毛 的 话 音

gāng luò　　jiù yǐn lái yí zhèn hōng xiào　　nǐ
刚 落 ， 就 引 来 一 阵 哄 笑 ，"你

dàng shì nǐ men xiǎo hái zi píng shí wán yóu xì
当 是 你 们 小 孩 子 平 时 玩 游 戏

a　　hā hā
啊 ？ 哈 哈 ……"

máo mao de liǎn zhàng de tōng hóng　　suī
毛 毛 的 脸 涨 得 通 红 。 虽

rán tā píng shí xǐ huan dào chù wā xiàn jǐng zhuō
然 他 平 时 喜 欢 到 处 挖 陷 阱 捉

nòng xiǎo péng yǒu　　dàn tā rèn wéi wā xiàn jǐng
弄 小 朋 友 ， 但 他 认 为 挖 陷 阱

dí què shì gè bú cuò de zhǔ yi
的 确 是 个 不 错 的 主 意 。

"现在不是开玩笑的时候！"

猫爷爷严肃地说，"如果我们在东面入口处布好陷阱，那么等到红衣人从东面进岛，就可能会掉进陷阱里——我觉得毛毛的建议挺好的。"

听猫爷爷这么一说，大伙儿都不再取笑毛毛，纷纷表示要加入挖陷阱的队伍。

于是，猫爷爷带领大家来到了鼠儿岛的东面入口处。他们在入口的最北端挖了一个宽度为2米的陷阱，然后往南挖，每隔半米又挖一个同样大小的陷阱，一直挖到最南端，正好挖了9个陷阱。

陷阱挖好了，猫爷爷说："从现在开始，我们轮流在这里站岗守卫，其他人也要做好迎接战斗的准备。"

kǎo kao nǐ
考考你

bù mǎn xiàn jǐng de rù kǒu chù
布满陷阱的入口处，
cóng nán dào běi kuān duō shao mǐ
从南到北宽多少米？

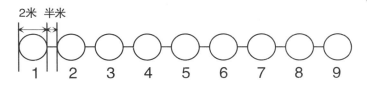

2米 半米
1　2　3　4　5　6　7　8　9

yī　　　rú tú suǒ shì　　　　gè xiàn jǐng yǒu
一、如图所示,9个陷阱有

gè jiàn gé　　　　　　　　měi gè jiàn gé
8个间隔(9 − 1 = 8),每个间隔

cháng bàn mǐ　　　　gè jiàn gé cháng mǐ
长半米,8个间隔长4米;

èr　　　yí gè xiàn jǐng de kuān dù shì mǐ
二、一个陷阱的宽度是2米,

gè xiàn jǐng de kuān dù wéi　　　　　　mǐ
9个陷阱的宽度为:2 × 9 = 18(米);

sān　　　rù kǒu chù cóng nán dào běi kuān dù
三、入口处从南到北宽度

wéi　　　　　　　　mǐ
为:4 + 18 = 22(米)。

三、生擒红衣人

SAN SHENGQIN HONGYI REN

jiǎo jié de yuè guāng zhào zhe shǔ ér
皎 洁 的 月 光 照 着 鼠 儿

dǎo fǎng fú gěi shǔ ér dǎo pī shàng le
岛 ， 仿 佛 给 鼠 儿 岛 披 上 了

yì céng yín shā hǎi fēng qīng qīng de chuī
一 层 银 纱 。 海 风 轻 轻 地 吹

fú zhe yē zi shù fā chū shā shā de
拂 着 椰 子 树 ， 发 出 沙 沙 的

xiǎng shēng máo mao zuò zài shǔ ér dǎo rù
响 声 。 毛 毛 坐 在 鼠 儿 岛 入

kǒu chù nà kē zuì gāo de yē zi shù shang
口 处 那 棵 最 高 的 椰 子 树 上 ，

警惕地注视着海面。

突然，一个小黑点出现在了大海远处，并慢慢地向鼠儿岛漂来。毛毛既紧张又兴奋，他屏住呼吸，目不转睛地盯着小黑点。

小黑点越来越大，越来越清晰。原来是一艘快艇，开船的正是那个红衣人。

红衣人把快艇停在海滩上，跳下船，鬼鬼祟祟地向毛毛这边走来。不过，他刚走到入口的陷阱边就停了下来。

"难道他发现什么了？"

毛毛安慰自己，"我挖陷阱的技术一级棒，不可能有什么问题。"

红衣人在路口张望了一阵，又继续往前走。只听咚的一声，红衣人掉进了陷阱里。

"大家快来啊，红衣人掉进陷阱里了！我们抓到红衣人了！"毛毛从椰子树上滑下来，兴奋得又蹦又跳。

听到毛毛的喊声，鼠儿岛的动物们举着火把、拿着

棍棒从四面八方赶来了。他
们都想看看，这个神秘的红
衣人到底是谁。

红衣人拼命地往上爬，
可是爬了几次都滑了下去。看
到围在陷阱边的人越来越多，
他彻底绝望了，无可奈何地
蹲了下去。

猫爷爷听说抓到了红衣
人，急急忙忙从家里赶去。
走到一半时，他突然想

qǐ yīng gāi ná gēn shéng zi qù bǎng hóng yī rén
起 应 该 拿 根 绳 子 去 绑 红 衣 人 ,

biàn zhuǎn shēn huí wū qù ná shéng zi suǒ yǐ
便 转 身 回 屋 去 拿 绳 子 。 所 以 ,

dāng tā gǎn dào xiàn jǐng biān shí nà lǐ yǐ
当 他 赶 到 陷 阱 边 时 , 那 里 已

jīng jù jí le hěn duō rén
经 聚 集 了 很 多 人 。

　　 māo yé ye nín shuō de huài rén shì
　　 "猫 爷 爷 , 您 说 的 坏 人 是

zhè ge jiā huo ma kàn dào māo yé ye
这 个 家 伙 吗 ? " 看 到 猫 爷 爷

lái le dà jiā gǎn jǐn gěi tā ràng chū yì
来 了 , 大 家 赶 紧 给 他 让 出 一

tiáo lù lái
条 路 来 。

"是他！"猫爷爷往陷阱里看了一眼，然后把手中的绳子递给了红狐狸，"先把他绑起来再说！"

红狐狸跳进陷阱，三下五除二便把红衣人绑了个结实。接着，大伙儿七手八脚把红衣人拖出陷阱，又把红狐狸拉了上来。

红衣人的头埋得低低的，浑身直哆嗦。猫爷爷走过去，一把扯下他的帽子，这时，大家才看清了他的真面目。

māo yé ye de xiǎo mù wū lí wā
猫 爷 爷 的 小 木 屋 离 挖

xiàn jǐng de dì fang yǒu mǐ tā
陷 阱 的 地 方 有 1000 米 ， 他

cóng jiā li zǒu dào xiàn jǐng biān yí
从 家 里 走 到 陷 阱 边 ， 一

gòng zǒu le duō shao mǐ
共 走 了 多 少 米 ？

rú tú
如图：

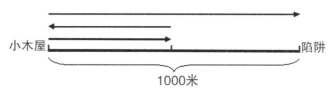

小木屋ㅡㅡㅡㅡ陷阱

1000米

yī　　māo yé ye zǒu dào yí bàn shí
一、猫爷爷走到一半时，

yòu huí jiā qù ná shéng zi　　zhè yàng yí qù
又回家去拿绳子，这样一去

yì fǎn jiù duō zǒu le　　gè　yí bàn de lù
一返就多走了 2 个一半的路

chéng　　jí　　mǐ
程，即 1000 米；

èr　　māo yé ye yí gòng zǒu de lù
二、猫爷爷一共走的路

chéng　　　　　　　　　　　　　mǐ
程：1000 + 1000 = 2000（米）。

四、审问红衣人

SI SHENWEN HONGYI REN

yuán lái shì zhī lài pí gǒu a
"原 来 是 只 癞 皮 狗 啊！"

dà huǒr yǒu xiē yì wài　　　　　nǐ dào shǔ ér
大 伙儿 有 些 意 外 ， "你 到 鼠 儿

dǎo lái gàn shén me
岛 来 干 什 么 ？"

wǒ　　　　　　lài pí gǒu yǎn zhū yí
"我 ……" 癞 皮 狗 眼 珠 一

zhuàn　　　wǒ shì lái lǚ yóu de
转 ， "我 是 来 旅 游 的 。"

bàn yè sān gēng pǎo dào shǔ ér dǎo
"半 夜 三 更 跑 到 鼠 儿 岛

lái lǚ yóu　　nǐ hǒng sān suì xiǎo hái a
来 旅 游？你 哄 三 岁 小 孩 啊？！"

lài pí gǒu de huí dá bǎ dà huǒr rě nù le
癞 皮 狗 的 回 答 把 大 伙儿 惹 怒 了 。

hóng hú li shuō zài bù shuō shí huà jiù
红 狐 狸 说 ：" 再 不 说 实 话 ， 就

bǎ nǐ rēng dào hǎi li wèi yú
把 你 扔 到 海 里 喂 鱼 ！ "

hā hā lài pí gǒu tū rán
" 哈 哈 ……" 癞 皮 狗 突 然

dà xiào qǐ lái yào rēng nǐ jiù rēng ba
大 笑 起 来 ，" 要 扔 你 就 扔 吧 ，

rú guǒ nǐ men bú pà wǒ jiā dà wáng lái wèi
如 果 你 们 不 怕 我 家 大 王 来 为

wǒ bào chóu de huà
我 报 仇 的 话 ！ "

"你家大王是谁？"猫爷爷问。

"我凭什么告诉你？"癞皮狗根本不把瘦小的猫爷爷放在眼里。

"你……"猫爷爷不停地来回踱步。他心里很清楚，如果不把癞皮狗到鼠儿岛的意图弄清楚，鼠儿岛就有可能面临更大的危险。

看着猫爷爷一脸着急的样子，毛毛把嘴凑到猫爷爷耳朵边，叽里咕噜说着什么。

māo yé ye tīng le lián lián diǎn tóu   liǎn shang
猫 爷 爷 听 了 连 连 点 头 ， 脸 上

yě lù chū le xiào róng
也 露 出 了 笑 容 。

　　　　nǐ kàn　　zhè shì shén me　　　　máo
　　"你 看 ， 这 是 什 么 ？ " 毛

mao cóng kù dōu li tāo chū yí gè xiǎo píng zi
毛 从 裤 兜 里 掏 出 一 个 小 瓶 子 ，

zài lài pí gǒu yǎn qián huàng le huàng　　zhè dōng
在 癞 皮 狗 眼 前 晃 了 晃 ，"这 东

xi jiào　　chāo jí wú dí yǎng yang fěn　　　yào
西 叫 '超 级 无 敌 痒 痒 粉 '。 要

shi bǎ tā dào zài nǐ shēn shang　　hēi hēi
是 把 它 倒 在 你 身 上 ， 嘿 嘿 ，

bāo nǐ yǎng dào xiào bù tíng
包 你 痒 到 笑 不 停 ！ "

31

原来，毛毛是要用平时捉弄小朋友的本事来对付癞皮狗啊！大伙儿忍不住笑了起来。

"什么痒痒粉啊？"癞皮狗装出一副无所谓的样子，"我死都不怕，还怕你这些粉末？"

"这可是你说的哟。"毛毛笑嘻嘻地揭开瓶盖，把痒痒粉往癞皮狗的脖子上倒了下去。

"哈哈……痒死我了！"癞皮狗不停地扭动着身子，笑

得上气不接下气，"快，快帮
我挠挠！我说，我什么都说！"

毛毛帮癞皮狗拍掉了身
上的痒痒粉，又帮他挠了一
阵，说："现在该说了吧！"

癞皮狗垂头丧气地说：
"我家大王是只老鼠。他说鼠

儿岛的南山上有个山洞，洞里有个木匣子。他让我把这个木匣子给他弄回去。"

山洞？木匣子？癞皮狗的话让大家目瞪口呆，因为很多动物都不知道南山上还有个山洞，更不知道什么木匣子。

"我明白了！"猫爷爷抬起头，望着大海的远处，喃喃地说，"是他，一定是他！"

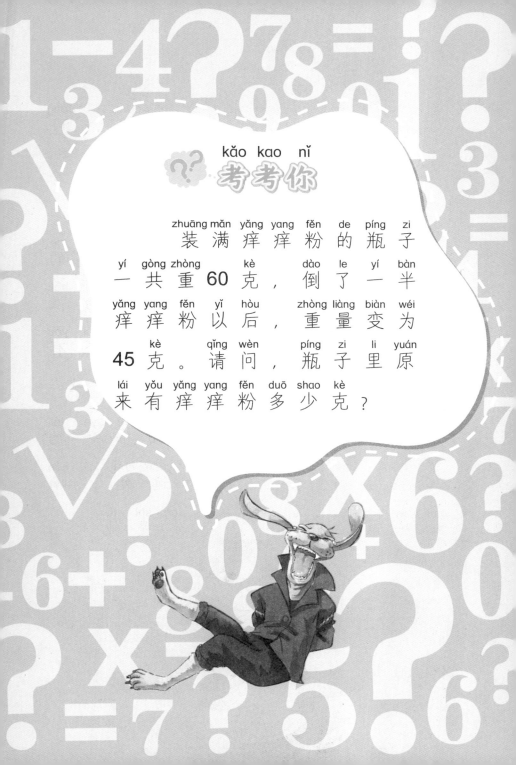

kǎo kao nǐ
考考你

zhuāng mǎn yǎng yang fěn de píng zi
装 满 痒 痒 粉 的 瓶 子
yí gòng zhòng kè dào le yí bàn
一 共 重 60 克 ， 倒 了 一 半
yǎng yang fěn yǐ hòu zhòng liàng biàn wéi
痒 痒 粉 以 后 ， 重 量 变 为
kè qǐng wèn píng zi li yuán
45 克 。 请 问 ， 瓶 子 里 原
lái yǒu yǎng yang fěn duō shao kè
来 有 痒 痒 粉 多 少 克 ？

yī　　　　yòng qù de yǎng yang fěn de zhòng liàng
一 、 用 去 的 痒 痒 粉 的 重 量 ：

kè
60 － 45 ＝ 15 （ 克 ）；

èr　　　　yòng qù de yǎng yang fěn shì yuán lái
二 、 用 去 的 痒 痒 粉 是 原 来

de yí bàn　　suǒ yǐ yuán lái yǒu yǎng yang fěn
的 一 半 ， 所 以 原 来 有 痒 痒 粉 ：

kè
15 × 2 ＝ 30 （ 克 ）。

五、修炼成精的老鼠

māo yé ye gěi dà huǒr jiǎng qǐ le yí
猫 爷 爷 给 大 伙儿 讲 起 了 一

jiàn fā shēng zài shǔ ér dǎo shang de wǎng shì
件 发 生 在 鼠 儿 岛 上 的 往 事。

hěn jiǔ yǐ qián māo yé ye hái shi
很 久 以 前， 猫 爷 爷 还 是

gè nián qīng lì zhuàng de xiǎo huǒ zi fù zé
个 年 轻 力 壮 的 小 伙 子， 负 责

shǒu wèi shǔ ér dǎo de liáng cāng yì tiān wǎn
守 卫 鼠 儿 岛 的 粮 仓。 一 天 晚

shang māo yé ye zhuā zhù le yì zhī tōu chī
上， 猫 爷 爷 抓 住 了 一 只 偷 吃

liáng shi de lǎo shǔ lìng māo yé ye méi xiǎng
粮 食 的 老 鼠。 令 猫 爷 爷 没 想

到的是，这只老鼠竟然猛地

调转头来，一口咬断了被猫

爷爷抓住的尾巴，沿着通往

南山的小路逃窜，最后消失

在了乱石丛中。

几天后的一个清晨，猫

爷爷在南山上发现了一个小

小的山洞。一股带着刺鼻气

味的白烟不停地从洞里飘出来。

"这荒山野岭的，谁会在

洞里面呢？"猫爷爷从小生

活在鼠儿岛，却从不知道南

山上有这么一个山洞。他悄

悄地钻了进去。

别看山洞的入口很小，但里面却很宽敞。山洞中央，几块石头上支着一个陶罐，红红的火焰直往陶罐上蹿，一只个头儿比猫爷爷还大的老鼠正拿着一截木棍在陶罐里搅拌着。

猫爷爷惊呆了，这不是那天咬断尾巴后逃走的老鼠吗？怎么才

guò le jǐ tiān， tā jiù zhǎng zhè me dà le
过 了 几 天 ， 他 就 长 这 么 大 了 ！

māo yé ye hái méi lái de jí duō xiǎng
猫 爷 爷 还 没 来 得 及 多 想 ，

nà zhī lǎo shǔ jiù zī zī de jiào zhe cháo tā
那 只 老 鼠 就 吱 吱 地 叫 着 朝 他

pū le guò lái 。 zhè shì māo yé ye yì shēng
扑 了 过 来 。 这 是 猫 爷 爷 一 生

zhōng yù dào de zuì qiáng dà de duì shǒu， rú
中 遇 到 的 最 强 大 的 对 手 ， 如

guǒ bú shì yīn wèi lǎo shǔ zhī qián shòu le shāng
果 不 是 因 为 老 鼠 之 前 受 了 伤 ，

kǒng pà bèi dǎ bài de jiù bú shì lǎo shǔ ér
恐 怕 被 打 败 的 就 不 是 老 鼠 而

shì māo yé ye le 。
是 猫 爷 爷 了 。

lǎo shǔ dǎ bú guò māo yé ye， jiù
老 鼠 打 不 过 猫 爷 爷 ， 就

shí qǐ dì shang de yì běn shū duó lù ér táo
拾 起 地 上 的 一 本 书 夺 路 而 逃 。

māo yé ye pū shàng qù， yì bǎ chě xià le
猫 爷 爷 扑 上 去 ， 一 把 扯 下 了

shū de fēng miàn， fā xiàn nà jìng rán shì yì
书 的 封 面 ， 发 现 那 竟 然 是 一

běn áo zhì xiān yào de shū 。
本 熬 制 仙 药 的 书 。

老鼠趁猫爷爷发愣的瞬间，连滚带爬地逃到海边，跳上一艘小船，向大海深处划去。

那时，猫爷爷把这件事讲给了大伙儿听，可是谁也不相信有长得比猫还大的老鼠，反倒都说猫爷爷在吹牛。时间一长，猫爷爷渐渐忘记了这只修炼成精的老鼠，也忘记了南山上的那个山洞。

kǎo kao nǐ
考考你

老鼠吃了仙药后，
身体长度每天长一倍，
到第四天就长到了80厘
米。那么，在第二天，
老鼠的身体有多长？

sī lù hé dá àn
思路和答案

老鼠吃了仙药后，身体长
度每天长一倍。采用列表倒推
的方法，可以轻易地推算出老
鼠在第二天的身长为20厘米。

第四天	80厘米
第三天	40厘米
第二天	20厘米
第一天	10厘米

六、木匣子的秘密

"老鼠精急于找到这个木
匣子，说明这个木匣子很重
要。咱们必须赶在老鼠精之
前找到它！"猫爷爷说，"红
狐狸留下来看守癞皮狗，其
他人跟我上南山找木匣子！"

猫爷爷带领大伙儿来到南

山，顺利地找到了山洞。大
伙儿一走进山洞，便立刻分头
寻找木匣子的踪影。

毛毛跟着猫爷爷往山洞
深处走去。突然，一团黑乎
乎的东西从他面前掠过，吓
得他尖叫起来。

"别怕，那是蝙蝠。"猫
爷爷牵起毛毛的手，带
着他继续往前走。

"爷爷，你看，这边的石壁上有个石洞！"毛毛举着火把往石壁前照了照，"里面好像有东西。"

猫爷爷一看，石洞里放着的正是一个深褐色的木匣子！

听说找到了木匣子，大伙儿赶紧围了过来。

"这个木匣子怎么打开呢？"猫爷爷把木匣子捧在手上仔细端详，发现这上面有个密码转盘，可是没人知道密码是多少。

猫爷爷把木匣子交给毛毛，又拿着火把往石洞里照，发现里面还有一张已经发潮的纸条。他小心翼翼地展开纸条，只见上面写着四个数字，依次是1、2、4、8。

"这应该就是木匣子的密码了。"猫爷爷从毛毛手上接过木匣子，按照纸条上的数字转动木匣子上的转盘。

"怎么打不开呢？"猫爷爷尝试了几次，但木匣子仍然纹丝不动，"大伙儿快来看看，纸条上的数字是不是1、2、4、8？"

"前四个数字是1、2、4、8，但后面还有四个数字。"毛毛仔细看了看纸条，"好像是两个两位数，可惜已经看不清楚了。"

"唉，看来咱们是打不开这个匣子了。"有人开始失望了。

48

　　"干脆把匣子砸开，看看里面有什么。"有人建议。

　　"1、2、4、8……"毛毛反复念着纸条上的数字，突然眼前一亮，"我知道后面两个数是多少了！"

　　"真的吗？"大伙儿喜出望外，"快说说看，后两个数是多少？"

　　毛毛把自己的分析告诉了大家，猫爷爷按照他说的数字重新转动转盘，真的打开了木匣子！

zhǐ tiáo shang de qián sì gè shù
纸 条 上 的 前 四 个 数

yī cì shì　　　　　　　 nà hòu miàn
依 次 是 1、2、4、8, 那 后 面

liǎng gè shù shì duō shao ne
两 个 数 是 多 少 呢?

sī lù hé dá àn
思路和答案

　　zǐ xì guān chá qián sì gè
　　仔 细 观 察 前 四 个

shù wǒ men bù nán fā xiàn tā men
数 ， 我 们 不 难 发 现 它 们

de guī lǜ hòu yí gè shù shì qián
的 规 律 ：后 一 个 数 是 前

yí gè shù de bèi yīn cǐ hòu
一 个 数 的 2 倍 。 因 此 ， 后

liǎng gè shù yīng gāi shì hé
两 个 数 应 该 是 16 和 32。

yā hǎo piào liang a mù xiá
"呀，好漂亮啊！"木匣

zi bèi dǎ kāi de yí chà nà yí dào yào
子被打开的一刹那，一道耀

yǎn de guāng máng cóng lǐ miàn shè le chū lái
眼的光芒从里面射了出来：

yí kuài shēn zǐ sè de shuǐ jīng shí zài lǐ miàn
一块深紫色的水晶石在里面

shǎn shǎn fā guāng
闪闪发光。

xiǎo shí hou wǒ de
"小时候，我的

爷爷给我讲过一个故事。在很久很久以前，鼠儿岛上有一只修炼成精的蝙蝠。为了增强法力，他杀害了很多鼠儿岛的居民，用他们的心脏提炼仙丹。"猫爷爷说，"后来，一位仙女送给居民们一根魔杖，帮助他们降伏了蝙蝠精。这块水晶石应该就是魔杖上的魔法石。"

"那魔杖在哪里呢？"毛毛问。

"鼠儿岛曾经发生过一次

地震。地震之后，魔杖就不见了。"猫爷爷说，"我们在洞里找到了魔法石，也许魔杖也在这个洞里，咱们再分头找找吧！"

"哈哈，你们就是把山洞翻个底朝天，也不可能找到魔杖的！"突然，一只没有尾巴的大老鼠出现在洞口，"你们看，这是什么？"

"果然是你！魔杖怎么会在你手上？"猫爷爷大吃一惊。这时，他看到了老鼠精

de shēn hòu gēn zhe nà zhī lài pí gǒu nǐ
的 身 后 跟 着 那 只 癞 皮 狗 ，" 你

men bǎ hóng hú li zěn me le
们 把 红 狐 狸 怎 么 了 ？ "

shǎo fèi huà kuài bǎ mó fǎ shí jiāo
" 少 废 话 ， 快 把 魔 法 石 交

chū lái lǎo shǔ jīng è hěn hěn de hǒu dào
出 来 ！ " 老 鼠 精 恶 狠 狠 地 吼 道 。

nǐ zuò mèng māo yé ye qīng miè
" 你 做 梦 ！ " 猫 爷 爷 轻 蔑

de kàn le lǎo shǔ jīng yì yǎn mó fǎ shí
地 看 了 老 鼠 精 一 眼 ，" 魔 法 石

jiù shì yòng lái xiáng fú nǐ zhè zhǒng huài dàn de
就 是 用 来 降 伏 你 这 种 坏 蛋 的 ，

wǒ quàn nǐ hái shi zǎo rì gǎi xié guī zhèng ba
我 劝 你 还 是 早 日 改 邪 归 正 吧 ！ "

hǎo kuáng wàng de lǎo māo kàn wǒ jīn
" 好 狂 妄 的 老 猫 ， 看 我 今

tiān zěn me shōu shi nǐ　　　　lǎo shǔ jīng jǔ
天 怎 么 收 拾 你 ！ ” 老 鼠 精 举

qǐ mó zhàng　niàn qǐ le zhòu yǔ　　　ā lā
起 魔 杖 ， 念 起 了 咒 语 ， “ 啊 啦

lū bā jī
噜 吧 叽 …… ”

　　　　tū rán　　　yí dà qún wén zi cóng dòng
　　　突 然 ， 一 大 群 蚊 子 从 洞

wài fēi le jìn lái　　dà huǒr hái méi fǎn yìng
外 飞 了 进 来 。 大 伙 儿 还 没 反 应

guò lái jiù bèi wén zi dīng de mǎn tóu dōu
过来，就被蚊子叮得满头都

shì hóng gē da qí yǎng nán rěn le
是红疙瘩，奇痒难忍了。

hā hā hā nà zhī lài pí
"哈哈哈……"那只癞皮

gǒu xiào de lián yāo dōu zhí bù qǐ lái le nǐ
狗笑得连腰都直不起来了，"你

men yě hǎo hāor cháng chang yǎng de zī wèir
们也好好儿尝尝痒的滋味儿！"

guò le hǎo yí huìr wén zi chuī zhe
过了好一会儿，蚊子吹着

lǎ ba fēi zǒu le dà huǒr zhēng
喇叭飞走了。大伙儿睁

kāi yǎn jing yí kàn lǎo
开眼睛一看，老

shǔ jīng hé lài pí gǒu
鼠精和癞皮狗

bú jiàn le māo yé
不见了，猫爷

ye hé mó fǎ
爷和魔法

shí yě bú jiàn
石也不见

le
了！

"完了，魔法石被老鼠精

抢了，猫爷爷也被抓走了！"

大伙儿一下子不知道该怎么办了。

"大家别着急，老鼠精既

然没有在这里杀害爷爷，爷

爷就暂时不会有危险。"毛毛

安慰大伙儿，"咱们兵分两路，

小鹿和大猩猩直接抄近路回

去营救红狐狸，其他人分头

寻找猫爷爷的下落。"

听毛毛这么一说，大伙儿

重新振作起来，开始沿着下

山的路寻找猫爷爷。

kǎo kao nǐ
考考你

cóng shān dòng dào shān jiǎo yǒu tiáo
从 山 洞 到 山 脚 有 2 条

lù cóng shān jiǎo dào hǎi biān yǒu tiáo
路 ， 从 山 脚 到 海 边 有 4 条

lù xiǎo lù hé dà xīng xing yào cóng
路 ， 小 鹿 和 大 猩 猩 要 从

shān dòng dào hǎi biān kě yǐ yǒu jǐ
山 洞 到 海 边 ， 可 以 有 几

zhǒng bù tóng de zǒu fǎ
种 不 同 的 走 法 ？

rú tú suǒ shì　　cóng shān dòng dào
如图所示，从山洞到

shān jiǎo yǒu liǎng zhǒng zǒu fǎ　　　　cóng shān
山脚有两种走法：A、B，从山

jiǎo dào hǎi biān yǒu　zhǒng zǒu fǎ
脚到海边有4种走法：C、D、E、

suǒ yǐ cóng shān dòng dào hǎi biān jiù yǒu
F。所以从山洞到海边就有：

　　　　　　　　　　　　　　　　　　zhè
AC，AD，AE，AF，BC，BD，BE，BF 这

zhǒng zǒu fǎ　　　yě kě yǐ zhè yàng xiǎng　　jīng
8 种走法。也可以这样想，经

guò　　dào hǎi biān yǒu　zhǒng zǒu fǎ　　jīng guò
过 A 到海边有4种走法，经过 B

dào hǎi biān yě yǒu　zhǒng zǒu fǎ　　suǒ yǐ yí
到海边也有4种走法，所以一

gòng yǒu　　　　　　　zhǒng　　zǒu fǎ
共有 4 × 2 = 8（种）走法。

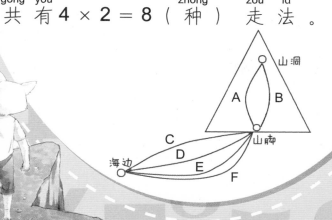

八、勇闯魔窟

BA YONGCHUANG MOKU

shí jiān yì fēn yì miǎo guò qù le dōng
时 间 一 分 一 秒 过 去 了 ，东

bian de tiān kōng chū xiàn le yì mǒ xiá guāng
边 的 天 空 出 现 了 一 抹 霞 光 。

máo mao tā men de jiǎo zǒu téng le sǎng zi
毛 毛 他 们 的 脚 走 疼 了 ， 嗓 子

yě hǎn yǎ le kě shì réng rán méi yǒu fā
也 喊 哑 了 ， 可 是 仍 然 没 有 发

xiàn māo yé ye de xià luò
现 猫 爷 爷 的 下 落 。

bù hǎo le zhè shí xiǎo lù
"不 好 了 ！" 这 时 ， 小 鹿

jí cōng cōng de cóng shān xià pǎo le shàng lái
急 匆 匆 地 从 山 下 跑 了 上 来 ，

"猫……猫爷爷……被老鼠精押上船了！"

毛毛把小鹿扶到一块大石头上坐下，说："到底怎么回事，你慢慢说！"

"我们在海边找到被老鼠精打晕的红狐狸后，正准备来找你们，就看到老鼠精他们把猫爷爷押上船，往东边

的蝎子岛方向去了。"小鹿喘

着粗气说，"红狐狸让我来报

信，他和大猩猩先划船追过

去了。"

　　"蝎子岛？"大伙儿觉得

有些意外。蝎子岛是一座很

小的荒岛，这么多年来，鼠

儿岛的居民们都没有上过蝎

子岛。看来，当年老鼠精逃

离鼠儿岛后，就把蝎子岛占

为自己的老窝了。

　　当大伙儿赶到海边时，新

的问题又出现了：停在海边

de chuán dà duō shù dōu bèi lǎo shǔ jīng tā men
的 船 大 多 数 都 被 老 鼠 精 他 们

huǐ huài le　　 zhǐ shèng xià yuǎn chù de yì tiáo
毁 坏 了 ， 只 剩 下 远 处 的 一 条

xiǎo chuán　 zhèng suí zhe bō làng qīng qīng yáo dàng
小 船 ， 正 随 着 波 浪 轻 轻 摇 荡 。

　　 xiǎo lù 　 xiǎo zhū 　 xiǎo cì wei
"小 鹿 、 小 猪 、 小 刺 猬 、

dà gōng jī　　　 nǐ men hé wǒ yì qǐ xiān dào
大 公 鸡 ， 你 们 和 我 一 起 先 到

xiē zi dǎo　　 guān jiàn shí kè 　 máo mao
蝎 子 岛 ！ " 关 键 时 刻 ， 毛 毛

xiǎn de tè bié chén zhuó　　 qí tā rén zài xiǎng
显 得 特 别 沉 着 ， "其 他 人 再 想

xiang bàn fǎ　　 zhēng qǔ jìn kuài gǎn guò lái
想 办 法 ， 争 取 尽 快 赶 过 来 。 "

　　　 dēng shàng xiē zi dǎo 　 máo mao fā
登 上 蝎 子 岛 ， 毛 毛 发

xiàn 　　 měi gé yí duàn jù lí 　 lù biān
现 ， 每 隔 一 段 距 离 ， 路 边

de yán shí shang jiù yǒu yí chù míng xiǎn de
的 岩 石 上 就 有 一 处 明 显 的

huá hén máo mao gāo xìng de shuō zhè shì
划痕。毛毛高兴地说："这是

hóng hú li gěi zán men liú xià de jì hao
红狐狸给咱们留下的记号，

zhǐ yào yán zhe huá hén de fāng xiàng zǒu jiù
只要沿着划痕的方向走，就

yí dìng néng zhǎo dào tā men
一定能找到他们！"

máo mao tā men yán zhe huá hén de fāng
毛毛他们沿着划痕的方

xiàng hěn kuài zhǎo dào le yí gè shān dòng
向，很快找到了一个山洞。

máo mao ràng dà jiā zài dòng wài děng hòu zì
毛毛让大家在洞外等候，自

jǐ xiān qiāo qiāo de liū le jìn qù
己先悄悄地溜了进去。

65

"哼，两个不自量力的家

伙！"刚一进洞，毛毛就听

到了老鼠精的声音。他赶紧

钻进一道石缝里藏了起来，

悄悄地往洞里张望。

山洞里，猫爷爷被绑在一

根石柱上，红狐狸和大猩猩

被一群毒蝎子和老鼠团团围

住。老鼠精得意扬扬地对红

狐狸说："就凭你们这点儿三

脚猫功夫，也敢来救老猫？不

过，你们也来得正好，我可

以用你们来试试魔法石的威力。"

lǎo shǔ jīng bǎ mó fǎ shí zhuāng zài le
老鼠精把魔法石装在了

mó zhàng shang jiē zhe niàn qǐ le zhòu yǔ
魔杖上，接着念起了咒语：

ā lā lū bā jī
"啊啦噜吧叽……"

kàn dào zì jǐ de hǎo huǒ bàn yǒu wēi
看到自己的好伙伴有危

xiǎn máo mao zháo jí le tā gāng xiǎng chōng
险，毛毛着急了。他刚想冲

chū qù tū rán kàn jiàn māo yé ye zhèng cháo
出去，突然看见猫爷爷正朝

tā zhǎ ba zhe yǎn jing shì yì tā bú yào
他眨巴着眼睛，示意他不要

qīng jǔ wàng dòng cōng míng de máo mao gǎn jǐn
轻举妄动。聪明的毛毛赶紧

bǎ tóu suō le huí qù jìng jìng de guān chá
把头缩了回去，静静地观察

zhe dòng li de biàn huà
着洞里的变化。

jiǎ rú zhǐ yǒu yì tiáo xiàn zài
假如只有一条限载5

zhī dòng wù de xiǎo chuán nà me
只动物的小船，那么，21

zhī dòng wù yào dù dào xiē zi dǎo zhì
只动物要渡到蝎子岛，至

shǎo xū yào dù jǐ cì
少需要渡几次？

思路和答案

一、假如安排一只动物当船
长，负责来回划船，那么需要
渡船的动物还有：$21 - 1 = 20$（只）；

二、每次渡船可搭乘的动
物有：$5 - 1 = 4$（只）；

三、需要渡船的次数为：
$20 \div 4 = 5$（次）；

四、列综合算式为：

$(21 - 1) \div (5 - 1) = 5$（次）。

九、魔杖的秘密

JIU MOZHANG DE MIMI

"咦，怎么回事？魔杖怎
么不灵了？"老鼠精自言自语
地说，"难道我
把咒语念错了？"

"哈哈……"猫
爷爷突然放声大笑
起来，"魔法石和

魔杖合一后，必须用新的咒语才能让它发挥魔力。你现在就是喊破喉咙也不管用！"

老鼠精恼羞成怒，恶狠狠地对猫爷爷说："死老猫，当年你害得我失去了尾巴。现在我就杀了你们，看你还敢笑话我！"

"我一把老骨头了，难道还怕死？"猫爷爷淡淡地一笑，"不过，如果我死了，这魔杖的咒语就会成为永远的秘密了！"

tīng māo yé ye zhè me yì shuō lǎo
听 猫 爷 爷 这 么 一 说 ， 老

shǔ jīng gǎn jǐn jǐ chū yì sī xiào róng nǐ
鼠 精 赶 紧 挤 出 一 丝 笑 容 ：" 你

bǎ zhòu yǔ gào su wǒ wǒ jiù fàng le nǐ men
把 咒 语 告 诉 我 ， 我 就 放 了 你 们 ！"

māo yé ye nǐ bù néng shàng tā de
"猫 爷 爷 ， 你 不 能 上 他 的

dàng hóng hú li hé dà xīng xing zháo jí le
当 ！" 红 狐 狸 和 大 猩 猩 着 急 了 。

lǎo shǔ jīng xiōng shén è shà de duì hóng
老 鼠 精 凶 神 恶 煞 地 对 红

hú li tā men shuō bì zuǐ zài hú shuō
狐 狸 他 们 说 ：" 闭 嘴 ！ 再 胡 说

八道，我就杀了你们！"说完，他又假惺惺地笑着对猫爷爷说："你说吧，新咒语是什么？"

"其实，我也不知道新的咒语是什么。"猫爷爷回答。

"你说什么？你不知道！"老鼠精大叫起来，"你还敢耍我！"

猫爷爷笑了笑，说："我不知道咒语是什么，但我知道藏咒语的地方。"

"哦，那你快告诉我吧！"

老鼠精脸上的表情不停地变化着。

"好吧，我告诉你。"猫爷爷悄悄地往毛毛那边看了一眼，故意很大声地念起一首顺口溜来："一间房子九块板，非零数字填里边。大门左右八和六，四在左边最前端。纵横斜加都十五，宝贝就在九下面。"

"什么房啊板的，咒语到底在哪儿呀？"老鼠精听得一头雾水。

“反正这顺口溜说的就是藏咒语的地方。”猫爷爷笑着说，“你自己再找不到的话，就不能怪我了。”

躲在石缝里的毛毛一边回想着猫爷爷的话，一边用石块在石壁上画：“这是一间

有九块地板的房间，进门的左边是8号地板，右边是6号地板，左前方是4号地板，而咒语就藏在9号地板的下面。有九块地板的房间……这不就是爷爷的房间吗？我明白了！只要把1、2、3、5、7、9六个数字分别填进剩余的地板位置，使纵行、横行和斜行的三块地板的编号相加都等于15，就可以在爷爷的房间里找到咒语了！"

kǎo kao nǐ
考考你

yòu bian zhè fú
右边这幅

tú jiù shì máo mao gēn jù
图就是毛毛根据

māo yé ye de shùn kǒu liū
猫爷爷的顺口溜

huà chū lái de nǐ zhī
画出来的，你知

dào nǎ kuài dì bǎn shì hào dì bǎn ma
道哪块地板是9号地板吗？

4		
8		6

xiān guān chá dì bǎn tú, yīn wèi shù zhe
先 观 察 地 板 图 ， 因 为 竖 着

dì yī liè、héng zhe dì sān háng、cóng zuǒ shàng
第 一 列 、 横 着 第 三 行 、 从 左 上

jiǎo dào yòu xià jiǎo xié zhe de nà yì háng dōu zhǐ
角 到 右 下 角 斜 着 的 那 一 行 都 只

quē yí gè shù，yīn cǐ wǒ men jiù kě yǐ cóng
缺 一 个 数 ， 因 此 我 们 就 可 以 从

zhè sān gè kòng quē de dì fang tián qǐ。
这 三 个 空 缺 的 地 方 填 起 。

dì yī liè dì èr kuài dì bǎn biān hào
第 一 列 第 二 块 地 板 编 号 ：

$$15 - 4 - 8 = 3;$$

dì èr liè dì sān kuài dì bǎn biān hào
第 二 列 第 三 块 地 板 编 号 ：

$$15 - 8 - 6 = 1;$$

dì èr liè dì èr kuài dì bǎn biān hào
第 二 列 第 二 块 地 板 编 号 ：

$15 - 4 - 6 = 5$;

dì èr liè dì yī kuài dì bǎn biān hào
第 二 列 第 一 块 地 板 编 号 :

$15 - 1 - 5 = 9$;

dì sān liè dì yī kuài dì bǎn biān hào
第 三 列 第 一 块 地 板 编 号 :

$15 - 4 - 9 = 2$;

dì sān liè dì èr kuài dì bǎn biān hào
第 三 列 第 二 块 地 板 编 号 :

$15 - 2 - 6 = 7$。

4	9	2
3	5	7
8	1	6

máo mao zǒu chū shān dòng　jiǎn dān de
毛毛走出山洞，简单地

bǎ dòng li fā shēng de shì gēn dà jiā jiǎng le
把洞里发生的事跟大家讲了

yí biàn　tā ràng xiǎo lù huí qù qǔ zhòu yǔ
一遍。他让小鹿回去取咒语，

zì jǐ hé qí tā jǐ gè rén yòu qiāo qiāo de
自己和其他几个人又悄悄地

liū jìn le dòng li
溜进了洞里。

zhè shí　hóng hú li hé dà xīng xing
这时，红狐狸和大猩猩

yǐ jīng bèi bǎng le qǐ lái　lǎo shǔ jīng bǎ
已经被绑了起来。老鼠精把

魔杖上的魔法石取下来，用
魔杖对准猫爷爷，得意扬扬
地说："别以为没有魔法石我
就收拾不了你们。今天，咱
们新账旧账一起算！"

"不好！"毛毛看到猫爷
爷有危险，赶紧冲了过去，大
声吼道："住手！"

老鼠精被这
突如其来的吼声
吓了一跳，当他
看清进来的是
毛毛后，很快

就放下心来。这时，癞皮狗
走过去，在老鼠精的耳边嘀
咕了几句。

老鼠精对毛毛说："怎
么，今天你也想用痒痒粉来
对付我吗？"

毛毛镇定地说，

"刚才爷爷已经把藏
咒语的地方告诉你
了，是你自己听不
明白，怎么能怪爷
爷呢？"

"这么说，你知

道咒语藏在什么地方了？"老

鼠精的态度一下子和蔼起来，

"那你快告诉我吧！"

"只要你能回答我的问

题，我就告诉你。"毛毛卖起

了关子。

"你说吧，什么问题？"

"你听好了！"毛毛清了

清嗓子，"一只猫吃掉一只老

鼠需要3分钟，请问8只这样的

猫吃掉8只这样的老鼠，最短

需要多少分钟？"

"你也敢来挖苦我！"老

shǔ jīng bèi qì de chuī hú zi dèng yǎn jing　　　tā
鼠 精 被 气 得 吹 胡 子 瞪 眼 睛 ， 他

jǔ qǐ mó zhàng duì zhǔn máo mao　　　jì rán nǐ
举 起 魔 杖 对 准 毛 毛 ， " 既 然 你

bú pà sǐ　　nà wǒ jiù chéng quán nǐ　　ā lā
不 怕 死 ， 那 我 就 成 全 你 ！ 啊 啦

lū bā jī
噜 吧 叽 …… "

zhè yí cì　　lǎo shǔ jīng de zhòu yǔ
这 一 次 ， 老 鼠 精 的 咒 语

líng yàn le　　jǐ shí zhī xiē zi huī wǔ zhe
灵 验 了 ， 几 十 只 蝎 子 挥 舞 着

wěi cì xiàng máo mao chōng le guò lái
尾 刺 向 毛 毛 冲 了 过 来 。

kuài duǒ kāi　　　　dà gōng jī pū shan
"快 躲 开！" 大 公 鸡 扑 扇

zhe chì bǎng chōng guò lái　　bù yí huìr jiù bǎ
着 翅 膀 冲 过 来 ，不 一 会儿 就 把

xiē zi chī le gè jīng guāng
蝎 子 吃 了 个 精 光 。

"啊！"老鼠精一愣，重新念起了咒语："啊啦噜吧叽……"

只见一条毒蛇张开大嘴，咝咝地向大公鸡和毛毛爬了过去，吓得他们连连后退。这时，一直隐蔽在旁边的小刺猬把背一躬，猛地腾空跃起，准确地扎在毒蛇的身上。

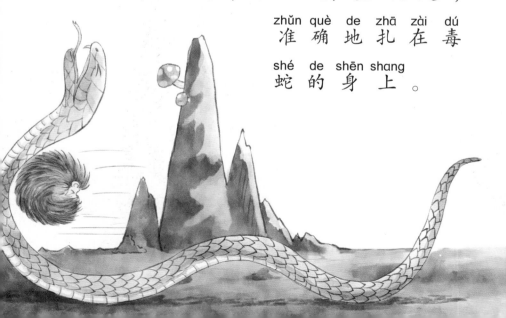

老鼠精万万没有想到，自己的法术居然被两只小动物轻易地破解了。他又把魔杖对准大公鸡和小刺猬，咬牙切齿地念道："啊啦噜吧叽……"

一道白光闪过，大公鸡和小刺猬变成了两块冰冷的石头。

"哼哼……"老鼠精冷笑着，又把魔杖对准了毛毛……

kǎo kao nǐ
考考你

máo mao chū de nà dào tí
毛毛出的那道题，
nǐ huì zuò ma
你会做吗？

sī lù hé dá àn
思路和答案

zhǐ xū yào fēn zhōng yīn wèi
只需要3分钟。因为8

zhī māo kě yǐ tóng shí chī zhī lǎo shǔ
只猫可以同时吃8只老鼠，

yòng de shí jiān jiù hé yì zhī māo chī yì
用的时间就和一只猫吃一

zhī lǎo shǔ yí yàng
只老鼠一样。

máo mao mí mí hú hú de zhēng kāi yǎn
毛 毛 迷 迷 糊 糊 地 睁 开 眼

jing　　fā xiàn zì jǐ tǎng zài xiǎo lù de huái
睛 ， 发 现 自 己 躺 在 小 鹿 的 怀

li　　zhōu wéi zhàn mǎn le shǔ ér dǎo de dòng wù
里 ， 周 围 站 满 了 鼠 儿 岛 的 动 物 。

dà gōng jī hé xiǎo cì wei yǐ jīng bèi
"大 公 鸡 和 小 刺 猬 已 经 被

lǎo shǔ jīng biàn chéng shí tou le　　máo mao zhēng
老 鼠 精 变 成 石 头 了 。" 毛 毛 挣

zhá zhe zuò qǐ lái　　nán guò de shuō　　xiǎo
扎 着 坐 起 来 ， 难 过 地 说 ，"小

zhū wèi le jiù wǒ　　bǎ wǒ tuī chū le shān
猪 为 了 救 我 ， 把 我 推 出 了 山

洞。我没有站稳，就从山上摔下来了。小猪肯定也遇害了。"

"你别着急，我已经把魔杖的咒语找到了，大伙儿也都赶过来了。"小鹿把写着咒语的纸条交给了毛毛，"只要我们从老鼠精那儿拿到魔杖，就可以打败老鼠精，救出猫爷爷他们了！"

"可是，咱们怎样才能把魔杖从老鼠精那里弄出来呢？"毛毛急得直抓脑袋。

小鹿拍了拍他的肩膀，说："我们抓住了一只巡山的小老鼠。他告诉我们，老鼠精和癞皮狗每天都要睡午觉。咱们可以趁这段时间去把魔杖偷出来。"

"真的？"毛毛看了看表，一下子站了起来，"现在是上午10点55分，咱们这就上山去！"

大伙儿搀扶着毛毛往山上

走去，当他们到达山洞口的时候才11点45分。这时，毛毛突然想起了一件事情："那些蝎兵鼠将没有睡午觉，我们也没办法进入山洞去取魔杖啊！"

"看，这是什么？"小鹿从怀里掏出一个罐子来。

"你哪儿弄的香油呀？"毛毛很纳闷儿。

小鹿得意地说："我回来的时候就在想，怎样才能引开洞里的蝎兵鼠将。正好我看到船上有香油，就把它带来了。"

děng dào dà huǒr dōu cáng hǎo hòu xiǎo
等 到 大 伙儿 都 藏 好 后 ， 小

lù jiù kuài sù de zài dòng kǒu dào le xiē xiāng
鹿 就 快 速 地 在 洞 口 倒 了 些 香

yóu rán hòu yòu shùn zhe xià shān de lù biān
油 ， 然 后 又 顺 着 下 山 的 路 边

zǒu biān dào
走 边 倒 。

méi guò duō jiǔ dòng li de xiē bīng
没 过 多 久 ， 洞 里 的 蝎 兵

shǔ jiàng wén dào le xiāng wèi biàn lù lù xù xù
鼠 将 闻 到 了 香 味 ， 便 陆 陆 续 续

pǎo dào dòng kǒu lái chī xiāng yóu dòng kǒu de
跑 到 洞 口 来 吃 香 油 。 洞 口 的

xiāng yóu chī guāng le tā men yòu xún zhe xiāng
香 油 吃 光 了 ， 他 们 又 循 着 香

wèi yí lù wǎng shān xià qù zhǎo xiāng yóu chī le
味 ， 一 路 往 山 下 去 找 香 油 吃 了 。

zhè ge shí hou lǎo shǔ jīng zhèng tǎng
这 个 时 候 ， 老 鼠 精 正 躺

zài shí chuáng shang hū hū dà shuì lài pí gǒu
在 石 床 上 呼 呼 大 睡 ， 癞 皮 狗

pā zài tā de shēn páng yě shuì de zhèng xiāng
趴 在 他 的 身 旁 也 睡 得 正 香 。

máo mao hé xiǎo lù liū jìn dòng li
毛 毛 和 小 鹿 溜 进 洞 里 ，

yì yǎn jiù kàn dào le wò zài lǎo shǔ jīng shǒu
一 眼 就 看 到 了 握 在 老 鼠 精 手

zhōng de mó zhàng hé mó fǎ shí máo mao xiǎng
中 的 魔 杖 和 魔 法 石 。 毛 毛 想

le xiǎng tāo chū le nà ge zhuāng yǒu yǎng yang
了 想 ， 掏 出 了 那 个 装 有 痒 痒

fěn de xiǎo píng zi dào le yì dīng diǎnr zài
粉 的 小 瓶 子 ， 倒 了 一 丁 点 儿 在

lǎo shǔ jīng de bí jiān shang lǎo shǔ jīng jué
老 鼠 精 的 鼻 尖 上 。 老 鼠 精 觉

de bí zi yǎng yang de rěn bú zhù shēn shǒu
得 鼻 子 痒 痒 的 ， 忍 不 住 伸 手

qù náo zhǐ
去 挠 。 只

jiàn tā de shǒu
见 他 的 手

yì sōng mó
一 松 ， 魔

zhàng hé mó fǎ
杖 和 魔 法

shí jiù diào le
石 就 掉 了

xià lái
下 来 。

máo mao tā men shàng shān yí
毛毛他们上山一
gòng zǒu le duō cháng shí jiān
共走了多长时间？

sī lù hé dá àn
思路和答案

dì yī zhǒng fāng fǎ
第一种方法：

xiān suàn　　　　　dào　　　　　yòng le　fēn
先算 10：55 到 11：00 用了 5 分

zhōng　zài suàn　　　dào　　　　　yòng le　fēn
钟，再算 11：00 到 11：45 用了 45 分

zhōng　suǒ yǐ　　　tā men shàng shān yí gòng yòng
钟，所以，他们上山一共用

le　　　　　　fēn zhōng
了 5 + 45 = 50（分钟）。

dì èr zhǒng fāng fǎ
第二种方法：

xiān xiǎng　　　　dào　　　　　yòng le　yí gè
先想 10：55 到 11：55 用了一个

xiǎo shí　　dàn shí jì zhǐ dào　　　　shǎo yòng
小时，但实际只到 11：45，少用

fēn zhōng　　　　　　　fēn zhōng
10分钟，60 − 10 = 50（分钟）。

十二、降服老鼠精

SHIER XIANGFU LAOSHUJING

máo mao gāng bǎ mó fǎ shí zhuāng zài mó
毛毛刚把魔法石装在魔

zhàng shang lǎo shǔ jīng jiù xǐng le máo mao
杖上，老鼠精就醒了。毛毛

gǎn jǐn bǎ mó zhàng duì zhǔn lǎo shǔ jīng zhào zhe
赶紧把魔杖对准老鼠精，照着

zhǐ tiáo niàn qǐ le zhòu yǔ　　　　ā lā ā lā
纸 条 念 起 了 咒 语 ："啊 啦 啊 啦

lū
噜 ……"

　　lǎo shǔ jīng xià le yí tiào　　yì fān
老 鼠 精 吓 了 一 跳 ， 一 翻

shēn　　zuān dào shí chuáng xià miàn duǒ le qǐ lái
身 ， 钻 到 石 床 下 面 躲 了 起 来 。

　　"ā lā ā lā lū ……"　　máo mao
"啊 啦 啊 啦 噜 ……" 毛 毛

yòu niàn le jǐ biàn zhòu yǔ　　kě shì mó zhàng
又 念 了 几 遍 咒 语 ， 可 是 魔 杖

què méi yǒu fā huī rèn hé mó lì
却 没 有 发 挥 任 何 魔 力 。

　　"hǎo wa　　yòu lái le liǎng gè bú pà
"好 哇 ， 又 来 了 两 个 不 怕

sǐ de bèn dàn　　kàn dào máo mao niàn de
死 的 笨 蛋 ！" 看 到 毛 毛 念 的

zhòu yǔ méi qǐ zuò yòng　　lǎo shǔ jīng dà yáo
咒 语 没 起 作 用 ， 老 鼠 精 大 摇

dà bǎi de cóng shí chuáng xià zuān chū lái　　kuài
大 摆 地 从 石 床 下 钻 出 来 ，"快 ，

guāi guāi de bǎ mó zhàng huán gěi wǒ
乖 乖 地 把 魔 杖 还 给 我 ！"

　　máo mao bǎ mó zhàng hé xiě zhe zhòu yǔ
毛 毛 把 魔 杖 和 写 着 咒 语

的 纸 条 交 给 了 小 鹿 ， 然 后 把 他

往 洞 口 一 推 ：" 小 鹿 ， 你 快 走 ！ "

" 走 ？ 你 们 当 我 这 儿 是 什 么

地 方 ， 想 来 就 来 ， 想 走 就 走

啊 ？ " 老 鼠 精 恶 狠 狠 地 说 ，

" 来 人 啦 ， 把 这 两 个 家 伙 给 我

抓 起 来 ！ "

正 在 洞 外 吃 香 油 的 蝎 兵

鼠 将 听 到 老 鼠 精 的 命 令 ， 急

急 忙 忙 地 往 回 跑 。 藏 在 洞 口

的 鼠 儿 岛 居 民 们 立 刻 跑 出 来 ，

拦 住 了 他 们 回 去 的 路 。

老 鼠 精 急 了 ， 抓 起 一 把

大刀向小鹿砍了过去。毛毛

往前一扑，抱住了老鼠精的

脚，把老鼠精摔了个"嘴啃

泥"。老鼠精爬起来，又朝毛

毛扑了过去……

"噜啦啊啦啊！"小鹿一

着急，把纸条上的咒语念反

了。没想到奇迹却发生了：魔

杖发出一道红光，老鼠精就
像被施了定身法似的，一动
不动了。

看到自家大王已经被制
伏了，癞皮狗吓得跪在地上
磕头求饶，那些蝎兵鼠将也
纷纷投降了。

"真有你的！"战斗很快
就结束了，毛毛高兴地对小
鹿说，"快去救爷爷和大公鸡
他们！"

"噜啦啊啦啊……"小鹿
一念咒语，猫爷爷身上的绳

子就自动脱落了，大公鸡和小刺猬也恢复了模样。

大伙儿兴高采烈地聚集在猫爷爷身边，七嘴八舌地问："猫爷爷，咱们怎么处置这些坏家伙？"

"有魔法石的魔杖无所不能。咱们用魔杖帮他们去掉心头的邪念，

带他们回鼠儿岛吧！"猫爷

爷的脸上露出了慈祥的笑容。

回到鼠儿岛，猫爷爷特

意做了一个大蛋糕，奖励鼠

儿岛的居民们，同时也庆祝

老鼠精和癞皮狗改邪归正。

从此以后，鼠儿岛的居

民们又过上了平静、幸福的

生活。

yào bǎ māo yé ye zuò de dàn
要 把 猫 爷 爷 做 的 蛋

gāo qiē chéng dà xiǎo xiāng tóng de kuài
糕 切 成 大 小 相 同 的 8 块，

dàn zhǐ néng qiē dāo yīng gāi zěn me
但 只 能 切 3 刀，应 该 怎 么

qiē
切 ？

rú tú suǒ shì xiān shù zhe zài dàn gāo
如图所示，先竖着在蛋糕

biǎo miàn qiē liǎng dāo qiē yí gè shí zì
表面切两刀，切一个"十"字

xíng bǎ dàn gāo fēn chéng dà xiǎo xiāng tóng de
形，把蛋糕分成大小相同的 4

fèn zài píng zhe zài dàn gāo zhōng jiān wèi zhì qiē
份；再平着在蛋糕中间位置切

yì dāo zhè yàng dàn gāo jiù biàn chéng le dà xiǎo
一刀，这样蛋糕就变成了大小

xiāng tóng de fèn
相同的 8 份。

图书在版编目（CIP）数据

鼠儿岛数学历险/苏超峰著. —成都：四川少年儿童
出版社，2021.6（2022.10 重印）
（越读越聪明的数学思维故事）
ISBN 978-7-5365-9778-5

Ⅰ. ①鼠… Ⅱ. ①苏… Ⅲ. ①数学—儿童读物 Ⅳ.
①O1-49

中国版本图书馆 CIP 数据核字（2021）第 085613 号

出 版 人　常　青

策　　划　明　琴
责任编辑　王姝菡
装帧设计　李乐欣
插　　图　黑·白
责任校对　张舒平
责任印制　王　春

SHUERDAO SHUXUE LIXIAN
鼠儿岛数学历险

书　　名　鼠儿岛数学历险
作　　者　苏超峰
出　　版　四川少年儿童出版社
地　　址　成都市锦江区三色路 238 号
网　　址　http://www.sccph.com.cn
网　　店　http://scsnetcbs.tmall.com
经　　销　新华书店
图文制作　喜唐平面设计工作室
印　　刷　天津图文方嘉印刷有限公司
成品尺寸　210mm × 147mm
开　　本　32
印　　张　3.5
字　　数　70 千
版　　次　2021 年 6 月第 1 版
印　　次　2022 年 10 月第 7 次印刷
书　　号　ISBN 978-7-5365-9778-5
定　　价　25.00 元